劉福春・李怡 主編

民國文學珍稀文獻集成

第一輯

新詩舊集影印叢編　第31冊

【張近芬（CF 女士）卷】

浪花

陽光社 1923 年 5 月版

張近芬（CF 女士）著譯

花木蘭文化出版社

國家圖書館出版品預行編目資料

浪花／張近芬(CF 女士) 著譯 -- 初版 -- 新北市：花木蘭文化出版社，2016〔民 105〕

152 面；19 ×26 公分

（民國文學珍稀文獻集成・第一輯・新詩舊集影印叢編 第 31 冊）

ISBN：978-986-404-622-5（套書精裝）

831.8 105002931

ISBN-978-986-404-622-5

民國文學珍稀文獻集成・第一輯・新詩舊集影印叢編（1-50 冊）

第 31 冊

浪花

著　者 張近芬（CF 女士）
主　編 劉福春、李怡
企　劃 首都師範大學中國詩歌研究中心
　　　　北京師範大學民國歷史文化與文學研究中心
　　　　（臺灣）政治大學民國歷史文化與文學研究中心
總 編 輯 杜潔祥
副總編輯 楊嘉樂
編　輯 許郁翎
出　版 花木蘭文化出版社
社　長 高小娟
聯絡地址 235 新北市中和區中安街七二號十三樓
　　　　電話：02-2923-1455／傳真：02-2923-1452
網　址 http://www.huamulan.tw 信箱 hml 810518@gmail.com
印　刷 普羅文化出版廣告事業
初　版 2016 年 4 月
定　價 第一輯 1-50 冊（精裝）新台幣 120,000 元

浪花

張近芬（CF 女士） 著譯

ＣＦ女士，原名張近芬，女。

陽光社一九二三年五月初版。原書橫三十二開。

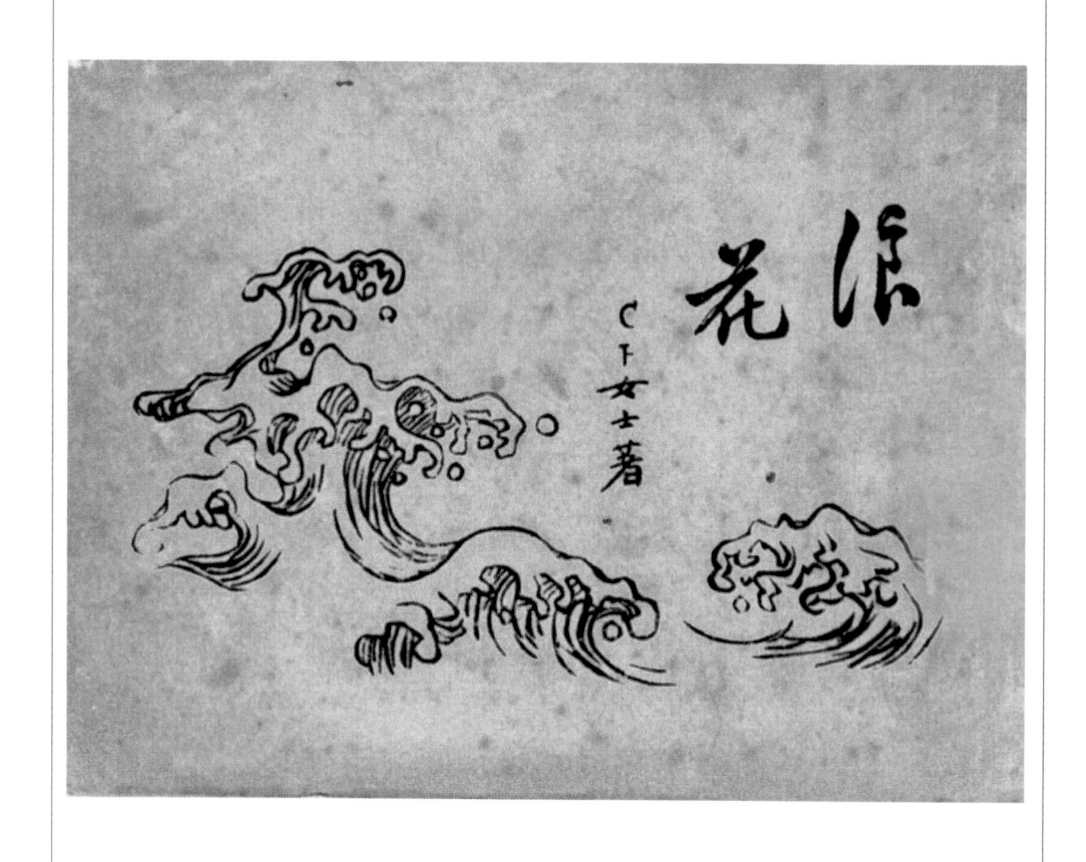
浪花
CF女士著

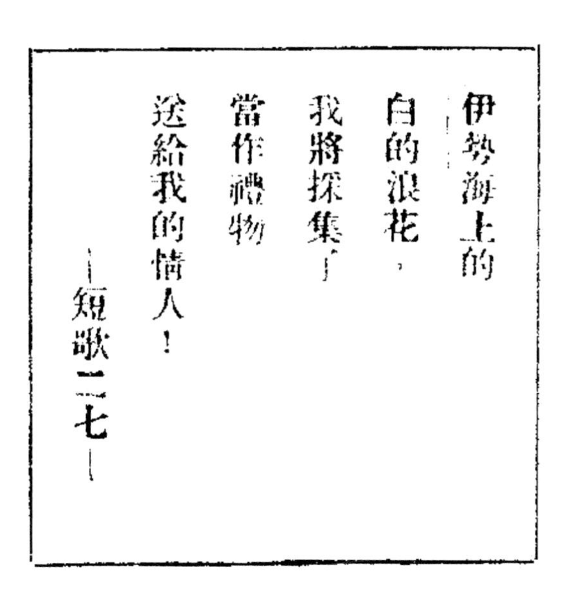
伊勢海上的
白的浪花，
我將採集了
當作禮物
送給我的情人！
——短歌二七——

浪花目錄

第一輯

浪花

二

第二輯

浪花

第三輯

短歌

在梅花上
積壓的雪，
我想掬了些
送給你看，
但伊在我的手中融化了。

梅花
已經萎謝了，
然而白的雪
還深深的
在園中堆積著。

浪花

雪猶未消——
而在流水所經處
生長的楊柳，
已透出嫩芽來了。

我每朝瞧見的
楊柳啊，
轉瞬已披上濃密的大衣了，
在那裏夜鷹
可以止息而且歌唱了。

我願意指給
我的愛人看
那末被春風
吹亂了的

絲柳的細條：

櫻花的時期
還沒有過去，
但已紛紛謝落了；
而愛看櫻花的人們，
熱度正達高點啊。

春天的雨啊！
輕輕的落下，
不要在我
看見櫻花之前，
將他們打落了。

當我走近

浪花　　四

迷霧蒙住了的
沼澤的時候，
聽聞夜鷹的歌唱，
春似乎已經到了。

我的日子在期待中過去，
我的心像
春天來了，
霜在水草上
一樣的融化了。

在渴望情愛之中
我忍耐到晚間。
但明天有霧的
長的春天

我將怎樣度過呢？

我的愛是像
春草一般的濃密，
像大洋的岸上
堆起的波浪
一樣的重疊。

鷓鴣啊！
我將不再為你種下
高大的樹了。
你來了高聲的叫喚，
足以增加我的春念啊！

天初曉時，

短歌

五

浪花

鷓鴣的叫喚
我聽聞了。
主啊！你聽得嗎？
還是你依然睡着？

我將爲你種下
一個橘林，
鷓鴣啊！
你可以在那裏長住
一直到冬天。

天是黎明了，
我因爲想念意中人，
不能睡著。
惱人的鷓鴣不住的叫喚，

六

將怎樣處置他呢？

我的生命，
我將用什麼來比呢？
他是像一條船，
在早晨划開了，
不留下一些兒痕跡。

我願意到
沒有鷓鴣的地方去，
因爲當我聽聞了
他的聲音，
我是非常的憂鬱啊。

愛情的苦惱

短歌　七

浪花

八

躲開世界，
正像一種姬百合
生長在夏原的
叢草中間啊！

就算我
是很懷恨你的，
但是那着花的橘樹，
生長在我的屋旁的，
你當眞不來看了嗎？

我種在屋角
紀念
我的情人的
紫藤，

後來是開花了。

當鷓鴣叫了，
我把他趕走，
囑附他去你那裏。
我疑惑不定，
不知他可曾到否？

去，鷓鴣，
告我的丈夫說，
怎樣的愛他；
他是太忙了，
不能來看我啊。

我未曾穿著

浪花

十

經過夏天的草地時
被露水浸濕了的衣服；
然而我的大褂的袖子，
是從未有一刻乾過啊。

現在是六月了，
被火般的陽光照著，
所以地也裂開了；
然而假使我不能遇見你，
我的衣袖怎麼會乾呢？

在春之沼澤上
我走去
採集紫羅蘭，
他的魔力這樣的吸引我，

使我停留到早上啊。

天是一個海
會發生層疊的波浪；
月是一條船，
他划到
羣星的林子裏面去。

伊勢海上的
白的浪花，
我將採集了
當作禮物，
送給我的情人！

只要是你的手

短歌

浪花　　十二

放在我的手裏，
總然別人的話
像夏場上的草一般的叢起，
有什么要緊呢！

——選譯日本「萬葉集」——

短歌

我不曾有
像電光閃過
穀穗的
那一剎那間
忘却了你呵！

我忘却你
除非在睡覺的時候，

但我却在夢中會見你！
假使我知道會你是在夢中，
我便不願醒了！

人們不知道
我底心呵，
在我底故鄉
花卉所固有的香氣
是異常芳郁的呵。

花底顏色
與霜雪相混了，
莫能分辨；
但只要從那香氣
可以知道他底存在。

短歌　十三

浪花　十四

我來了尋不見你：
我底衣袖是
比秋天早晨
經過竹林時
沾得更濕了！

幽暗無常的
春夜，
桃花底顏色
的確是瞧不出；
但怎能隱匿了他底芳香呢？

這一晚，
當我等待他不來的時候，

使我感到這樣凄凉的是什麼？
莫非是凛冽的秋風吹着嗎？

我願你底心
融化在我底心裏，
適如春天來了
冰融解了
沒有一些剩餘。

數年來
我愛情之火沒有熄滅過，
然而我底爲淚所浸濕而氷凍的袖子
依然未曾融解呵。

只有我

短歌　　十五

浪花
是最孤單的，
因爲牛郎
尙且一年一度的
會見他底情人（織女）啊！
——選譯日本「今古集」——

十六

沙萊在我們巷中

英國卡萊著

在許多那樣媚媚的女子中
沒有個比得上美麗的沙萊的，
伊是我心愛的人兒，
並且住在我們的巷裏．

在地球沒有一個婦人，
有沙萊一半溫順的；

伊是我心愛的人兒，
並且住在我們的巷裏。

伊的父親是編菜籃的，
在街上往來叫賣：
伊的母親終年販賣花邊
給那些愛買的人們；
但是的確別的人永不能產出
這般溫順的姑娘像沙萊樣的！
伊是我心愛的人兒，
並且住在我們的巷裏。

伊走近我時，我便放下我的工做，
我愛伊這樣的誠摯；
我的主人走來像無論哪個土耳其人一樣，

浪花

十八

嚴聲厲色地來扑撻我——
但是讓他扑責他的，
我爲沙萊願忍受一切；
伊是我心愛的人兒？
並且住在我們的巷裏．

在一星期內，
我熱烈地愛着的只有一天——
那天是介於這兩天的中間：
星期六和星期一；
於是我穿起我最闊綽的衣服來
同着沙萊在戶外散步．
伊是我心愛的人兒，
並且住在我們的巷裏。

我的主人把我帶到禮拜堂裏，
　我是常被呵責的，
因爲我偷偷地離開了他
　當聖經剛剛讀起；
我離開教堂正當祈禱的時光，
　悄悄的溜到沙萊那里；
伊是我心愛的人兒，
　並且住在我們的巷裏。

在聖誕節又將來到的時光，
　呵，於是我將有錢了；
我要把彼積起統統放在箱子裏，
　我要把彼送給我的情人，
我願彼能有一萬磅，
　全數贈給我的沙萊；
沙萊在我們的巷裏

十九

浪花　二十

伊是我心愛的人兒
　並且住在我們的巷裏，
我的主人同這些鄰人，
　玩笑我同沙萊，
但是爲伊的緣故我甯願做
一苦工並且駛着一條帆船；
但是我的七年之久過去了，
　啊，於是我要娶沙萊了——
啊，於是我們要結婚了，於是我們要同床了，
　但却不在我們的巷裏了！

雪萊詩兩首

(一)愛之哲學

泉水與大河交匯，

大河滾入洋海；
空中的風永遠
和甜蜜的情緒相感；
宇宙間無一物孤單；
萬物都遵守一條神聖的公律，
即相互的融合：——
為什麼我與你獨不？

看呵！羣山吻那高空，
波浪相互抱擁；
沒有一朵姊妹花會被寬恕，
假使她曾藐視她的兄弟；
陽光懷抱大地，
月光吻那倉海，
假如你不吻我，

愛之哲學　　二十一

那些粗陋的而得其成？

(二)圓月

你的顏色這樣灰白，
莫非是因爲
爬上天空，俯視大地，
孤寂地遊行着，
在許多和你不是同出一系的星中
刻刻變化，像含愁的眼睛一樣，
找不到值得永注的東西因而疲乏了？

印度之夜歌

英國 Coleridge 著

從外形上看來，

伊不比那些精靈似的女人們更美麗些，
直到伊向我微笑了，
我還沒有看出伊的可愛。
哦！我看見伊的非常明晶的眼睛了，
是一座愛的井，是一線春的光呵。
但伊現在是含羞了冷淡了，
好像不願理會我了，
但我却仍然不斷的注視
那含在伊眼裏的可愛的光，
伊那可愛的含愁的顰蹙，
比那精靈似的女人們的笑厭更娟美了

鳥兒

英國 Blake 著

他

二十四

浪花

你在那裏棲息，在那個林子裏？
告訴我，好人，告訴我，愛呀；
你的可愛的窩兒建築在那裏，
田野的新娘呀！

伊

那邊生長着一株孤單的樹兒：
我活著為你而悲歎；
晨光飲我的酸淚，
夕風拂拭我的愁苦。

他

你的夏的友侶呵，
我也活着為你而悲歎；
每天我在林子裏哀號，
夜聽是我的憂鬱的泣聲。

伊

你真的愛戀我？
我對於你是這樣的甜蜜？
憂愁現在是到盡頭了，
我的情人，我的愛友呵！

他

來！駕起歡樂的翅兒，
我們飛到我的高高掛着的亭園裏，
來，你可安靜地休息，
在芬芳的綠葉和花叢裏。

假使我有兩隻翅膀

英國沙銳著

假使我有兩隻翅膀
又是羽毛豐滿的小鳥，
我就要飛到你懷裏，我底親愛的！
假使我有兩隻翅膀

但是像這樣想是太懶惰了，
我依然是停留在這里。

可是在我底夢寐中我嘗飛到你那裏：
在我底夢寐中我常陪伴着你！
這個宇宙是我個人所獨有的。

但當醒轉時，我是在哪里？
一個人孤單單地。

夢寐不會停留，縱然有君主底命令；
所以我喜歡在天明之前就醒，
因爲我底夢寐雖是去了，
等到天色黑時，一個人閉上眼睛，
夢境依然進行了。

詩人之歌

Lord Alfrod Tonnyson 著

雨止了，詩人興起了，
他經過城市，走出街頭；
一陣輕風從太陽的光芒裡吹來，
麥田盡成波影，
他坐在一處靜寂的場所，
高唱甜蜜的歌曲，
竟使天鵝駐足，
　鴻鵠歛翼於雲霧之間。
燕子停着不捕捉蜂兒了，
小蛇溜入浪花之下了，
野鷹放下黏着絨毛的喙，
　爪兒把住了獵獲物凝視着，

浪花　二十八

那個夜鶯思量：「我曾唱了許多歌曲，
但是沒有一個這般暢快的，
因爲他所唱的是當這年華過去了，
世界將變成怎般模樣！」

瑪德密露

美國惠德安作

瑪德密露，有一夏天的清早，
正在牧塲上耙羅芬芳的乾草，
在伊底破帽的下面，
顯出簡單的美和質樸的康健。
伊工作時，很愉悅地唱歌，
學舌的鳥兒在樹中應和。

但當伊凝視遙遠的村莊，
從彼的山坡往下望，

甜蜜的歌聲沉下了·模糊的不安
和無名的渴望充滿了伊的胸膛，——

一個願望，伊不敢據爲已有，
因有物比伊所已知的更好。

知事在馬上慢慢地下那狹徑，
撫着他的馬的栗色的鬃毛·

他將他底韁絆縶在蘋果樹底陰下，
去訪問那個女郎，

瑪德密露

二十九

浪花　　三十

他要一滴泉水喝，
泉水流過那個收場。

伊俯身冷泉泛起的地方，
用伊的小錫杯盛水獻上，

伊給他時臉紅了，低下頭去望着
伊的赤露的足和伊的破碎的衣裳。

「多謝」，知事說，「從一隻潔白的手裏
送來一滴甜蜜的水是不用豪飲了。」

他談論草呀，花呀，樹呀，
歌唱的鳥和營營的蜂呀，

於是談到耙攏的乾草和古怪的天氣，
西方的雲將使天雨了。

瑪德忘了伊底破碎的衣衫，
伊的美麗的足是赤裸如櫻色；
伊靜靜的聽著，從伊的疲乏的朦朧的眼裏，
露出一種愉悅的詫異的神氣。

後來，像因求虛浮的寬恕而逗留底人一樣，
他騎了馬去了。

瑪德密露望着而且嘆息；『我呵！
知事亦許會來迎娶我呵！

浪花　三十二

『他將用精緻的絲織的衣服衣我，
用他的美酒祝賀我揄揚我。
『我底父親將穿大絨的袍子；
我底哥哥將駛敷油的船兒。
『我將替我毋親打扮得這樣闊氣和華麗，
孩子們每天有一樣新的玩具。
『我將衣貧寒而餵飢餓，
過我大門的都將祝福我。』
知事回過頭來，那時正爬上山去，
看見瑪德還在那裡站住。——

『樣子更好看，面龐更可愛，
但我永遠沒有緣再和伊相會。

『伊那有禮儀的回答，嚴肅的空氣，
顯出伊的聰明來，不亞於伊的美麗。

『要是伊是我的人了，我今天，
亦是個收穫乾草的人，和伊一般：

『不用疑惑地判斷是與非，
亦無須討厭的律師們的無窮的駁詰。

『但聽嗚嗚地牛鳴，啾啾地鳥啼，
康健和安靜和喁喁地情語。』

瑪德密露　　三十三

浪花　三十四

但是他想起了他姊妹們的驕傲與矜嚴，
同他的母親的誇炫階級與金錢。

因此打斷了念頭，乘馬囘去，
其時瑪德被撇在田間孤零零地
——

那天下午律師們在那裏嘲笑，
其時他正在院裏低吟一支老的戀愛的歌調；

這位年青的姑娘靜默地站在井傍
直到了雨落在未曾爬緯的金花棠上。

他迎娶了一個奩資最豐富的妻子，
伊生有時髦，正和他生有權勢一樣。

在他的雲母石火爐的融融火光裏，
他常見一個形像來了又去
可愛的瑪德密露的褐色的眼睛
天眞地詫愕地望着。

當他的玻璃杯裏的酒是紅色時，
他渴望道旁的泉水來代替；
閑着眼睛在他盛飾的房裏
夢想金花朶的花朶和牧場。

這高傲的人微微地歎息，帶着一種隱痛，
『唉，我是重復自由了！

浪花　　三十六

『自由，像那天我騎了馬
那裏赤足的女郎在耙羅伊的乾草一樣。』

伊嫁了一個沒有知識而且貧苦的人兒，
許多孩子環繞了的伊大門遊玩。

小心，憂慮，和生產的苦痛，
留下彼等的痕跡在心中和腦中。

當夏日熱烈地照在
牧場中新刈的草上，

伊聽聞流水穿過了隄岸
泛濫在道旁的聲音，

在蘋果樹的蔭下，伊又見
一騎者在拉他的韁繩。
伊覺出他的含情的眼睛正在那裡看伊，
遂靦覥而且溫存地低下頭去，
伊的狹隘的樹房的墻壁，
伸進了莊嚴的會客室：
纏之的齒輪在琴上轉着，
羊油的燭在檯上燃着，
爲了他，伊坐近烟囪的臺，
一邊打盹一邊口裡自怨自艾。

瑪德密露

浪花　三十八

伊看見一個男人的樣子在伊的身傍，
享樂是本分，愛戀是規程
於是伊從新把生命的担子担起，
只說道『這亦許是可能的！』

悲哉女郎，悲哉知事，
失意的富人，勞碌的主婦！
上帝憐憫他們兩個。憐憫我們全體，
他們空幻地夢想富華重至。
因為一切悲哀的說的或寫的言語，
其最悲哀的是這句『這亦許是可能的！』

呵！哦！我們一切甜蜜的希望
都深深地埋葬了，不爲人類所見；
總有一天天使到來，會從墓地
把這碑碣掀開！

惠德安 (John Grenllaf Whitier) (1837—1892）是美國富有宗教性的詩人，早年便負盛名的。他是農夫的兒子，從事於新聞事業。他很反對奴隸式的社會，不但在他所主持的報紙上常作論評攻擊他，就是在他的源源不窮的筆尖下，每天寫出的詩歌中，也充滿了社會主義的色彩。勇往直前，不尚詭辯，愛自由自立的熱烈的精神貫徹在他的作品中，而且富於鄉士的風味。最足以代表這種特性的作品，是他的詩『瑪德密露』，這篇詩在美國和別的許多英語國中是廣受歡迎和讚賞的。

溫柔地吻我

John go deaey Sode 著

溫柔地吻我，低聲地語我，——
怨恨永遠有一隻精細的耳朵，
亦許他是在左近藏躲？
　吻我，親愛的！
溫柔地吻我，低聲地語我。

溫柔地吻我，低聲地語我——
妒忌也有一隻審密的耳朵，
亦許他會有機會聽得？

吻我，親愛的！
溫柔地吻我。低聲地語我。

溫柔地吻我，低聲地語我！
信任我，心肝，情人可以
無所畏懼而愛的時機快到了，
吻我，親愛的！
溫柔地吻我，低聲地語我。

王爾德詩五首

清晨的印象

泰晤士的澄黃和蔚藍的夜景
在灰色中變成渾然一體了；
一隻載着赭色乾草的大艇，

浪花　四十二

從街頭上墮下去。

寒冷而淡黃的迷霧從那檐上爬下，
直到房屋的牆壁像是變成了黑影；
　而那個聖彌保寺，
模糊得像浮在地上的一個泡沫。

於是忽然發生了一種[illegible]的生活的丁璫的聲浪，
　街市靜寂的空氣，
受了鄉下農車的激蕩；
一隻小鳥飛到日光照耀的屋頂上歌唱。

但是有一個婦人
　獨自徘徊在煤氣燈的搖光的下面，
　日光吻伊的青灰色的頭髮，

伊的唇像火燄，心像鐵石一樣。

黃色中的諧音

一輛四輪的馬車經過橋上，
蠕蠕前進像一隻黃色的蝴蝶，
這里和那里常有一個過客，
樣子像一隻小的飛動的蚊虫，

大船載滿了黃色的乾草
向有遮蔽的船塢移動，
像一塊黃色的絲巾；
濃密的迷霧沿那碼頭層積着。

黃色的樹葉起始枯萎了，
從寺中的榆樹上紛紛墮下，

在我底足下，那灰綠色的泰晤士
趨着像一枝波動的碧玉的竿子。

晨光

天空裝點着遊離的紅光，
周圍的迷霧和黑影消滅了，
曙光從海邊升起，
彷彿一個白衣女子從伊的牀上爬起。

參差的黃銅的箭
斜射着夜的羽翼，
一道黃光的長浪
靜靜地波動在搭和屋上，

而且廣佈林間

驚起了幾隻鼓翼的鳥兒，
所有栗樹的頂都受了擾動，
所有的樹枝都衣被了黃金的條紋。

我心的孤獨

輕輕地踐踏，
伊是近在積雪之下，
溫文地講，
伊能聽雛菊花的生長。

伊的金絲髮，
全銹得褪色了，
年青而艷麗的伊，
早躺在塵土之下了。

浪花　　四十六

荷花似的，雪一般白的，
　伊幾乎不知道
伊是生長得
　這樣美麗的一個婦女。

棺蓋，重石，
　覆在伊的胸上，
我悵恨我心的孤獨，
　伊是在安息了。

寂靜，寂靜，伊不能聽聞
　詩歌和琴聲，
我的生命全埋在這裏，
　泥土堆在彼的上面。

致我妻

(附上一本我的詩抄)

旣不能作一嚴正的詩
　作爲我的著作的序言；
詩是詩人自然寫出的，
　我敢於說。

因爲假使這些落花中
有一朶你覺得有趣的，
愛情會存載了使他
　插在你的髮上。

當冷風和冬日冰結了
　所有不生愛情的田地，
他會使花園做語，

　致我妻

四十七

浪花　　　　　　　　　　　　　　四十八

你是瞭解的。

英國 Landor 詩三首

(一)爲什麼

爲什麼注意去捕捉心時，
我們的愉快便失去了？
我不知道。自然說聲順從，
人就順從了。
我看見，而不知道爲什麼，
荊棘滋生玫瑰花便死了。

(二)七十五歲的生日

我不同誰爭辯，因爲沒有人值得我的爭辯。
自然是我所愛的，次於自然的是藝術；
我煖和這雙手在生命之火的面前，

火熄滅了，我便預備分離了。

（三）死

死站在我的面前輕輕地說，
我不知鑽進我的耳朵的是什麼；
我所能懂得的他的奇異的語言
是，世間沒有畏懼這個字。

箭和歌

美國 Longfellow 著

我向空中發一枝箭，
彼墜地上，我不知在何處；
因爲彼飛得這般迅速，
眼光不能跟隨彼底飛去。

我向空中唱一曲歌，
彼散布地上，我不知在何處；
因為誰有這樣尖銳的眼光，
能隨歌聲飛去？

自此以後許多年，在一橡樹中，
我發見這枝箭還未折斷；
那曲歌呢，從頭至尾，
我在一個朋友底心中重復發見。

村莊的鉄匠

在一多蔭的栗樹下，
有家鄉村的鉄舖；
鐵匠是個魁偉的人，
有雙強大的手握；

他的雄壯的臂肉，
像鐵索一樣堅固。

他有長而黑的捲髮，
臉孔像橡樹的外皮；
額上為誠實的汗珠所濕；
他賺進他所能賺的；
對全世界沒於愧色，
因為他不負欠誰的。

一週復一週，自朝至暮，
你能聽聞他抽風箱的聲音，
你能聽聞他揮他的重鎚，
鎚擊均勻而遲緩，
如一教士擊撞村鐘，

浪花

當夕陽西沈的時候。

兒童從學校回來，
向開着的門中望進；
他們愛看熾紅的鐵爐，
傾聽風箱的抽氣，
並且捉捕閃鑠的火星，
他好像風箱口飛散的糖屑。

他星期日上教堂去，
坐在他孩子們的中央；
他聽牧師禱告和宣講，
他聽聞女兒的聲音，
和着村人齊聲歌唱，
使得他的心很歡暢。

這種聲音他聽着彷彿女兒的母親
在極樂園中歌唱的聲響！
他因此又想起她來，
不知她睡在墳墓中怎樣；
他用粗硬的手
揮他眼中流出的淚珠。

勞苦，歡樂，憂慮，
他這樣的過他的一生；
每朝看見工作的起頭，
每晚看見他的終結；
有些事試作，有些事作了，
得到一夜的安息。

浪花　　五十四

謝謝你，我的益友，
爲了你所教的功課！
在熾鐵爐的生活上，
造成我們的幸福；
在他的堅固的鈇碪上
製出燦爛的事實和理想。

新年歌

Robert Browning 著

歲是在春；
日是在晨；
晨是在七時；
山旁是露珠；
天鵝是在飛翔；
蝸牛是在游行；

上帝是在天堂——
宇宙萬物各得其所！

別冬

德國 fuller--leben 著

一

冬呵！
快去罷。
你別了我，
我的心也笑了。
冬呵！
快去罷。

二

冬呵！
快去罷。
我願你忘了我，

能永久地遠離我，

冬呵！

快去罷。

三

冬呵！

快去罷。

你去後不要立即回這屋子裏，

鳩鳥見你出去也笑將起來了。

冬呵！

快去罷。

德國 Lenaus Werke 三首

春

樹枝發芽了，

小鳥歌唱了，

草地也顯露出
他的最初的嫩綠來了、

彷彿是我們的苦痛呵，
當我們踐踏着大地，
弄髒了他的新衣。

他並不注意
那花瓣的墮落
和春日的歌曲，
是使我憂愁的呵。

問

哦，人們的心呵，什麼是你們的幸福？
還是一個天然之謎呵！

德國Lenaus Werlie 三首　　五十七

得着，失却，
一轉瞬間都消滅無存了！

花園裏的病人

太遲了罷？鶯兒！
早己吹掉了，
夏天的田地己成熟了，
還用着這春聲嗎？

哦，春呵！
什麼時候才洩漏你底春光，
如我當年死了？
或許你也遠行了，
怎樣會遇見我呢？

泰谷爾詩三首

當時候與爲什麼

當我帶給你許多五色的玩具的時候，我的孩子，我曉得爲什麼有這樣的光彩流動在雲上，水上，還有爲什麼各樣花兒都染着濃淡的顏色，——當我將五色玩具給你的時候，我的孩子。

當我歌唱了使你跳舞的時候，我知道爲什麼有音樂在樹林裏，還有爲什麼波浪送他們合唱的歌聲，到傾聽的地球的心裏——當我爲你跳舞而歌唱的時候。

當我拿了甜蜜的東西送到你的欲得的手裏的時候，我知道爲什麼有蜜糖在花的杯裏，還有

浪花　　六十

爲什麼果兒暗地裏充滿了蜜汁—當我拿了甜蜜的東西送到你的欲得的手裏的時候。

當我吻你的臉使你笑的時候，我的心愛的人兒，我的確曉得怎樣的愉快，自天空浮出在晨光裏；還有怎樣的歡喜，那夏天的風送到我的身上—當我吻你的臉使你笑的時候。

園丁集第二十

一天一天，伊來了又去，

去，給伊我髮上的花，吾友，

倘使伊問你這是誰送的，

我請你不要告訴他我的名字，

因爲他不過來了又去。

他坐在樹下的塵土上，
在那裏把花兒葉兒鋪了一個坐位，吾友，
他的眼睛含有悲哀，直刺到我的心裏，
他不說出有什麼心事，
他不過來了又去。

園丁集第三十四

不要去，吾愛，不要離我而去。
我守了一夜，現在眼重要睡了，
我怕在熟睡時不見了你。
不要去，吾愛，不要離我而去。
我站起來張開我的兩手迎你，
我問我自己：『這是一夢嗎？』

浪花　　六十二

我只能用我的心縛住你的足並且握着他們緊貼

住我的胸。

不要去；吾愛，不要離我而去。

歌

英國 Rossetti 著

我死了，我最親愛的，

勿爲我唱悲哀的歌；

你不要種玫瑰花在我頭上，

也不要種多蔭的柏樹；

讓綠草滋生在我墳上，

帶着雨珠和露水的濕氣，

倘使你願意的，記着，

倘使你願意的，忘却。

我不賴看見樹陰，
　我不賴感覺下雨，
我不願聽夜鶯的歌聲，
　彷彿訴他的苦痛；
在若明若滅的微光中
　我瀕入夢鄉。
快樂我許記着，
　快樂我許忘却。

野花之歌

我徘徊林間時，
　在綠葉叢中，
我聽得一朶野花
　正唱一個歌曲。

浪花　　六十四

「我睡在浪中，
在清靜的夜裏；
我呢喃出我的意欲，
是很愉悅的。

「早晨我起來了，
像晨光樣的裝紅；
出去尋求新快樂，
卻遇見了侮辱。」

旁晚

時已旁晚了。
群山像佛徒一般靜默地列着。
餘光照在他們的頂上，

漸漸地將他們靜寂巍峨的樣子留在暗中了。
[illegible]着在他們的頭上朦朧地掛着，
彷彿一層天幕。
無限的大地恐懼地蹲在他們的足下，
只有羣鴉的呀呀聲和牧場上看羊童子的呼喚聲
，
隱約地送到他們的耳邊。

杜鵑

Michael Bruce 著

喂，綠林的嬌客！
你是春的前驅呵！
天公已修補好你的居室，
樹林歡迎你去唱歌呵。

浪花

雛菊花裝點青草地的時候，
我們一定能聽到你的聲音；——
你有一星指導你的來路，
或者標識年的一週嗎？

歡樂的佳賓！
我同着你祝賀羣花的開放，
並且靜聽音樂般的歌聲
發自亭園中的羣鳥。

小學生遊行林中
採集美麗的蓮馨花，
聽聞你的奇聲而驚異，
模效你的歌聲。

六十八

當花開放的時候，
汝翱翔於充滿歌聲的山谷，
一週年的貴客呵，飛往他處，
另有春天可以歡祝。

美麗之鳥呵！你的亭園永遠是綠的，
你的天空永遠是清明的；
你的歌裏沒有憂慮，
在你的年裏沒有冬季。

噢！我如能飛，我將同你飛翔；
你們生就歡樂的翅兒，
週年傲遊全世界，
作春天的伴侶。

兒歌

浪花　六十八

英國 Lord Alfred Tennyson 著

日出時，在伊底巢中，
小鳥唱些什麼？
「讓我飛吧」，小鳥說，
「母親，讓我飛去吧」。
「孩呵，再養息久些，
　等小翅兒長強壯些。」
因此伊再養息了些時，
伊便飛去了。

日出時，在伊底搖牀上，
孩子說些什麼？
孩子像小鳥般說：
「讓我起來飛去吧」。

『孩子，再睡久些，
等小足兒長強壯些，』
假使伊再睡了些時，
孩子也將飛去了。

勃萊克兒歌六首

兒歌詩序

吹笛下荒谷，
　吹出和悅的歌曲，
我見一童在雲端裏，
　他含笑地對我說：

『請奏一隻小羊曲！』
　我奏着充滿了愉悅。
『演奏者請再演一回；』

浪花

七十

我奏了，他含淚地聽着。

「垂下你的笛子—快樂的笛子；

唱你的愉悅的歌曲：

我迺復唱一回那隻曲子，

他含淚的微笑地聽着。

「演奏者，你請坐下，在一本書裏

寫下人人所能咏誦的。」

他在我的眼前不見了，

我迺折取一枝中空的蘆葦，

我製成一枝粗筆，

潤了清淨的水，

我寫下我的快樂的歌曲，

個個小孩能歡欣地讚的。

小羊

小小羊兒誰造你？
你可知道誰造你？
給你生命賜你食，
傍近水流過草磧；
給你快樂的衣裳，
柔輭蒙茸且光亮；
給你這樣溫文的聲音，
使得遍山遍谷盡歡欣？
小小羊兒誰造你？
你可知道誰造你？

小小羊兒我告你，

浪花

小小羊兒我告你：
他是被稱爲你的名字，
因爲他自稱一個羊子。
他是溫良和仁慈，
他變成了一個孩子。
我是一孩子，你是一羊子，
我們被稱爲他的名字。
小小羊兒神佑你！
小小羊兒神佑你！

嬰兒歡樂

「我沒有名字：
我只有兩天年紀。」
我將怎樣稱呼你？

『我是幸福，
歡樂是我的名字。』
甜蜜的歡樂降臨你！

可愛的歡樂！
甜蜜的歡樂只有兩天年紀。
甜蜜的歡樂我稱呼你：
你笑，
我歌，
甜蜜的歡樂降臨你！

童子迷路

爸呵！爸呵！你上那裏去？
不要走得這樣快呵。
說呵，爸，對你的小孩子說呵，

否則我將迷路了。
夜是墨黑了，沒有爸在那裏；
童子被露水浸濕了；
泥濘陷足，小孩哭了，
迷霧消散了。

童子歸家

小孩迷失在寂寞的沼澤裏，
遊離的光照着，
他起始呼號了；但是上帝永遠近着
現身出來像他的父親穿着白衣。
他親這孩子，用手攙了，
帶他到母親那裏，
伊生活在山谷中，臉帶憂鬱的蒼白色。

伊的小孩哭得很苦楚地。

花

歡樂的，歡樂的雀兒！
在這樣碧綠的葉叢下，
有一朵快樂的花
見你像箭一般快的
找尋你狹小的搖床，
靠近我的胸膛。

美麗的，美麗的知更雀！
在這樣碧綠的葉叢下，
有一朵快樂的花
聽聞你悲咽，悲咽，
美麗的，美麗的知更雀，

浪花

靠近我的胸膛。

七十六

新潮社文藝叢書

春水（冰心女士詩集） 定價三角

桃色的雲（魯迅譯愛羅先珂童話劇） 印刷中

吶喊（魯迅小說集） 印刷中

我的花鬘（周作人譯詩歌小品集） 印刷中

紡輪的故事（CF女士譯孟代童話集） 印刷中

托爾斯泰短篇小說集（孫伏園譯） 印刷中

假若

假若我是一枝花，
我要開的嬌艷美麗，
飲那燦爛的陽光，清風和雨露；
假若我是一枝花，我就要這樣。

假我若是一隻小鳥，
我要唱得嘹亮好聽，
我要造我的巢在搖拽擺蕩的榆樹上；
假若我是一隻小鳥，我就要這樣。

假若我是一條小河，
我要跳動閃鑠在碧綠的田旁，
和白雪似的小羊作伴；

浪花　　七十八

假若我是一條小河，我就要這樣。
假若我是一顆小星，
我要照耀出燦爛的光明，
引導海面上渡人的水手和林間迷路的旅客；
假若我是一顆小星，我就要這樣。
——一九二二，一，十五——

冬夜

一

朔風呼號的聲音漸漸大了，
一團一團白雪滾滾地飛舞。
雪花呵！
你的能力多大，
頃刻間把黑暗的冬夜
變成瓊瑤世界了！

二

朔風呼號的聲音漸漸大了，
一團團白雪滾滾地飛舞。
雪花呵！
你的心地多潔白。
我半夜開窗含笑迎你，
使我有無窮的感想！

三

雪兒呵！
你下的夠了。
什麼骯髒的都變色了。
我願你浸透萬物的心——
　永遠地浸透，
莫被太陽消失你的功能！

——一九二二，一，十六——

敲冰

『冰是最壞的東西，』弟弟說，
『你看他把我的小花瓶也弄碎了！
花園裏的小池塘，冰厚得像石塊一樣，
不能行駛我的小艇了！』

『沸水竹竿石塊都拿來了，
把我的小池塘的堅冰
漸漸地溶化了，敲碎了，
我的小艇呵，你從此可以前進無阻了！』

——一九二二，一，十七——

小詩三首

一

姊姊呵，

不要太固執了；
既即『全』只是『缺』所襯托出的，
為何還要向空幻中去追求呢？

二

爆竹把我的心也震碎了！
你的劈撲的聲響，
是報告時光的流過呢，
還是警覺我們去幹未了的事業？

三

日中看似粉紅的梅花，
月夜顏色就變淡了，
夜色朦朧中竟成了灰色。
梅花呵！
究竟誰是你的本色！

——一九二二，一，十九——

霧露

霧露的惡氣佈滿天空，
遮蔽得如許黑暗。
唉！霧露，
你太無情，
害得人們天日都不見了。
霧露，你何時可散？
不要逞着你眼前强悍，
暫時的勢力能，
終會有一朝失敗。
果然日光出來了，
立刻把惡氣全掃；

經一度霧露，反襯出他底顏色好。

日光，日光，

我願你永遠不再被霧露遮了。

——一九二二，一，二四——

鐘聲

洪亮的鐘聲發自天空，

居然把睡鄉中——沈酣於甜夢者——一一驚醒

你的能力眞大！

我更祝你要把世界上——

迷戀的，蒙昧的，競爭的，都一齊喚醒。

——一九二二，一，二五——

月亮

皎潔的月亮，

浪花

八十四

平等地普遍地
照耀大地之上．
偶然起了一層層的烏雲，
籠罩了伊底面目，
隔斷了伊底光亮，
引起人間底懷疑猜想。
但風過雲散，
依然顯出了伊底廬山眞相。

—一九二二，一，二六—

小詩二首

魚兒

魚兒呵，
你爲何掉尾而去？
是因爲前面的河岸，

擋住你的去路嗎？

哀音

遠處淒楚的哀音，
衝破了沉寂的深夜，
鼓動我的心絃
我迺深深地感動了！

—一九二二，一，二十八—

迎春

樹枝兒迎着春風低聲說：
我們從冰天雪窖中奮鬥過來了；
嚴厲的北風，摧盡了我們的生機，
凜冽的霜氣，冰冷了我們的心蒂。
春呵，

浪花　八十六

我們帶着血和淚迎你，
願你把我們溫在和暖的懷裏。

——一九二三，一，三〇——

自然、我愛！

自然，我愛！
你使來的和風，溫得我身體恬適了；
你使來的小鳥，唱得我耳朵清澈了；
你使來的春之花，薰得我心神俱醉了。
自然，我愛！
我願我和你緊接，——
常常擁抱在你的懷裏！

春之草

春之草，又青青，

你不是去年被冬風摧殘，冰雪掩蓋。
但是我早知道你醞着「不死的精神」，
總有一天勃發的機會。
春之草，又青青，
果然表現了你的精神。

——一九二二，三，二七——

雜感八首

燭

燭兒，
不要向我流淚了！
你是我慢慢長夜的惟一伴侶，
我底心已爲你底心所融化了！

小艇

浪花　八十八

小艇呵！
你底目的不是在汪洋大海的彼岸嗎？
爲何只是停留在這里？
你底勇氣到哪里去了？

願？

願冬天的風永遠吹着，
黑夜永勿過去嗎？
願玫瑰花，百合花永埋在地層之下嗎？

小雀

小雀兒、你願受我底豢養能！
要知你終逃不出這籠子了。
吱，吱，吱地毿毿答着說：
『你關得服我底心嗎？

找得出我底同類嗎之

天亮了

天亮了，
外面有人敲門了，
醒醒罷！

蜂兒

黃蜂兒撲在蛛網上，
蜂自投網呢？
還是網候着蜂呢？

玉蘭

玉蘭呵！
別你三五天已長得這樣的苞了，

天亮了　蜂兒　玉蘭

浪花　　九十

陽光正照着你，
快放出花來罷！

江水

滔滔的江水，
日夜不息的向下流着
是有什麼待着你嗎？

——一九二三，四，一——

小鳥語

小鳥自籠出，
棲身樹枝上；
兩翅弱無力，
不覺心悲傷。

忽見同林鳥，
喞喞聲相讓；
小友何抑鬱，
曷來共翺翔。

小鳥吱吱語：
往事殊堪傷；
少小被拘囚，
身心受摧戕。

今雖出籠去，
呼吸自由氣；
無奈身無力，
對影空歎息。

浪花

何如君鐘樂，
來去無定蹤：
早餐秀山色，
夜宿綠陰中。

寄語我兄弟，
無爲餌所迷；
束身囚籠中，
幸福長已矣。

小鳥語罷時，
四鄰盡寂寂；
惟聞流水聲，
如助伊歎息。

—一九二二，六，五—

寄星姊

昔年別離時，
你諄諄地向我說，
不要忘你。
你底：
含笑的臉，
爛熳的心，
已深深地印在我的心裏。
任是：
別離千年，
相隔萬里，
我也不能忘記了你！

—一九二三，七，三—

偶感

夜將黑暗密布人間了。
層層的烏雲壓得人氣也透不轉了。
誰是破曉的雄雞，
喚醒酣睡中的人們？
誰是澄雲的清風，
吹散層積着的烏雲？

——一九二三，七，八——

夏去秋來

鳳仙花開了，梧桐葉轉為黃色了，
甜蜜的山藷也次第成熟了。
日中的寒蟬，晚間的蟋蟀，
都報道秋將來了。
垂熟的稻苗，白棉的花葉，

閙在窗中呼嘯，
點點滴滴的小雨，不住的往下墜；
這個彷彿是自然向垂去之夏說：
『別了！別了！』

—一九二二，七，十—

髑髏

序

可詛呪的考試到了，同學們預備正忙，我也不得已稍事溫習，於是與杏初姊至解剖室觀察髑髏，想到伊生前怎樣的美麗，就引起了這些感想。

一

伊生前不是美人嗎？
玫瑰之頰，

浪花

九十六

櫻桃之口，
波之眼，
金絲之髮，……
哪里去了？
怎只留着了這凹陷、黝黯的面龐，
徒令人生厭？

二

髑髏，
赤裸裸的髑髏，
你太寃枉了！
受人鍾愛、戀慕的，不是
蒙蔽了你，被覆了你而生存的
各種細胞底組織嗎？

三

寃枉嗎？

但，
現在呢？——美人呢？髑髏？

——一九二三，八，九——

理性和事實

我們底理性告訴我們：
『每一個人負有改造社會的責任，
應該努力推翻現在的酷烈的，不公平的社會
，把彼安放在合理的基礎上。
但事實告訴我們：
『現在的社會是大衆安之若素的社會，
你們無故來搗亂，來驚擾大衆，
將爲大衆所棄呵！』
理性告訴我們：
『人應該做他願意做的事。人生應該藝術化

浪花　　九十八

，人應有高尚的超於物質的享樂」

但事實告訴我們：

『在這受經濟支配之下的社會，人們要做他願意做的事是辦不到的呵！沒有一定限度的物質的供給，要有超物質的享樂，眞是夢思呵！」

理性告訴我們：

『人應當有充分的自由，脫離一切無理的壓迫和束縛。」

但事實告訴我們：

『無理的壓迫和束縛，是數千年的制度，風俗所造成的，你沒有把舊制度，舊風俗掃盡的能力，要有充分的自由是不可能的呵！」

理性告訴我們：

『個人有處置自己的事情底特權，所以個人

的婚姻應該完全自主的。』

但是事實告訴我們：

『家庭制度存在一天，完全自主的婚姻是難

實現的；法律不改革，已訂定的婚約是難解

的；即合完全自主，哪里都能找到合意的人

呢！』

事實和理性相衝突，

事實處處和理性相衝突，

沒有理性的原沒有什麼苦，

我們——我們有理性的人那能不感到苦痛，那

能不感到煩悶呵！

但是我們祇得在無聊中鼓勵自己說：

『現在收的果，是前人種下的因；要是前人

在園中栽一些樹，種一些花，我們這些後來

的游園客，何至感到荒凉之苦。但是我們埋

浪花　　　　　　　　——白

怨前人也無用了，咀咒前人也無用了；我們忍著苦，下些花兒樹兒的種子罷，莫讓後來的游園客再埋怨我們，咀咒我們。」

現在青年男女們感到煩悶的很多；煩悶的原因，不外事實與理性太遠離了，衝突了。這一段是我節錄和我小峯哥討論煩悶的信裏的話，也就是我們相戒不要煩悶的話。今特將彼發表，以勸與我同感的青年。

——一九二二，九，六——

撒下的種子

撒下的種子，
還渺無消息；
亂草野花

已在其中滋生了。

輕輕地
　將野花摘去，
　　亂草拔出，
汲取泉水，
　一瓢一瓢地灌溉。

過了幾天，
　透出一瓣兩瓣的嫩芽來了；
又過幾天；
　已滿園青青了。

幾個兒童經過看見了，
　鼓着手掌兒歡呼：
　　撒下的種子

一〇一

浪花 【一〇三】

南風吹來時，
將開了黃花，
結着甜瓜了！

——一九二三，二，十——

他的信

他的信來了，
反引起我心中的沉鬱，
搜遍字裏行間，
何以竟得不到些須濃郁的情意？

小詩

才透芽的嫩葉兒，
尖端已現了焦枯，
我洒深深的失望了。

種子的生長

在深深地埋藏的
一粒種子的心窩裏，
有一株細小的植物
沉酣酣地睡着。

陽光照在伊的上面說：
『醒來，爬到光明裏來吧。』
雨點也滴滴地說：
醒來，醒來！

這株小而可愛的植物聽聞了，
升出地面來，
看那
種子的生長

浪花　　　　一○四

多麼光明燦爛的宇宙！

—一九二三，九，一—

促織

促織姊姊呀！

你怎樣到這時才來呢？

這一年來你到那裏去了，

我何等的念你！

今早我的弟弟說：

『促織姊姊該來了。

昨晚絡紗婆婆紡了一夜紗，促織姊姊該來幫

她織布了。』

於今你竟來了，

使我異常的歡喜！

在萬物安息的時候，
你獨不息的工作；
你的勤勞的精神，
我何等的佩服！

但是你這樣的勤苦，
只受用了別人；
你的年華，
卻從這促織的聲中老了。
我眞代你不平！

——一九二二，七，十——

生命的恩物

南非須萊納爾女士著

我見一個正在酣睡的婦人，她在睡眠中夢見生命站在她的面前，每手捧着一件恩物——一隻手是自由，一隻手是戀愛。她向婦人說；『請挑選罷！』

那婦人等了好久，於是說：請給我自由罷！

於是生命說：『你選得不錯呵。如果你說要戀愛，我當然會拿你所要的給你的，於是我便去了，以後再不會回來給你什么的了。但是，現在呢，我却總有一日要回來的，回來的時候，我就要一手捧着兩樣恩物了。』

我聽得那婦人在睡眠中笑了。

哀羅蘭之死

羅蘭死了，彼得萊覺得世上一切都是煩惱的。

生命正要離我而去，一刻也不停留，死正用了全力追縱我。當前的日子，已往的日子，都陷我於孤寂，將來的時日必定也是同樣的了。我心中所忍受的一切，我所恐懼的一切，都使我入於煩惱，有時這樣，有時那樣，所以倘若我不憐惜我自己，我早就捨棄我的生命了。

假使我黑暗的心中有些甜蜜的東西；他此刻也離棄我了；我瞧見遠處我必須駛向的所在起了狂暴的風波。我瞧見我的佳運遠在港口，而我的司機手是疲乏了，桅檣和繩索是斷了，我時常觀望的美麗的光華是消滅了！

自然與人生（選譯十二篇）

日本德富蘆花著

可憐兒

一

日兒正在富士山後沉下，黃金色的波浪湧上赫霞麥的沙灘。我是正從曲野山角散步回來。正低頭漫步，忽聞隄上的足音，又見兩個影子橫在我的路上，抬起頭來，看見二人正在走來。

年老的是一個四十左右的婦人，像是乳娘。小的是一個六七歲模樣的很秀麗的小姑娘。伊的髮兒覆在白潤的額上，身上披着一件紫色的外套，足下拖着一雙皮底鞋，繫了深紅的皮帶。

乳娘和小姑娘都不聲響。在小姑娘的美麗的

[illegible]上露出這樣年輕的人所少見的憂鬱。伊是誰的孩子呢？我便問一個漁翁的妻子——伊正沿着海岸走來；伊低聲回答：『那？那是霞仙姑娘，子爵赤田的女公子。』赤田！他的夫人因為家庭之間發生風波而自殺了，伊就是他的女兒嗎？

我們轉頭去看：二人在石後隱去了，只看見紫色衣袖的動搖。

我又低下頭去，地上留下小拖鞋的痕跡。

夕陽的光照在海邊，山上，夜色漸漸的彌滿了。當我守着微波滾近我的足邊在岸上散開時，已看不見一個人了。

有一隻小艇在遠處駛過，舟子唱著清朗的漁歌；我含着眼淚的心得了些慰藉。

二

可憐無母的孩子！伊的母親是很美麗的，伊做了赤田子爵的妻子。

誰能想到伊所坐的瑤輿，不久便成為伊的磨難的牀褥呢？

伊的丈夫是個游蕩的貴人，以鬥紙牌射箭為主要的娛樂。他曾休過三個妻子，還納了許多小星，並且和村中的女郎常有穢瑣的行為；在他的別墅中早夜縱惡，惹起全家的憎恨。

這位小姑娘霞仙是美麗的子爵夫人的女兒；當子爵的行為愈變愈壞，夫人的憂鬱也一天比一天的深。他縱欲無厭納了一個妾再納一個，劫奪了伊的丈夫對伊的愛情。他前妻的女兒又懷恨這個不幸的子爵夫人；找尋愛情，伊無處可找；渴望自由，伊又不能獲得；請求離婚，又不見聽從；伊被猜疑，誹謗，虐待，囚繫，到後來伊在世界上失去了一切希望，伊便決意自殺了。有人看見伊躺在靠近赫霞麥別墅的樓房的地板上。可憐的孩子和可憐的母親呵！

三

這樣的默想而且慢慢地走，我來到森戶的橋上。

那秀華山上聳起的黃色繪畫的房子；毫無疑義，是子爵的別墅了。左邊的房間就是子爵夫人自殺的地方。這間房子的玻璃窗，映着夕陽，閃鑠如黃金。我靠近橋欄杆看着一隻烏鴉從一邊松樹中飛出，經過別墅的屋頂，『呀，呀』的叫着飛到山後去了。日兒已經沉下，稿白的微光宛如夢中的境界。在這遮遍地球的夕影中，我獨自靜默地站着。

海運橋

有一天，我將跨上第一銀行左近的海運橋時，我聽見一羣人聚集在橋上。

一個巡警正在盤問一個衣衫襤褸的婦人，約有四十五歲，伊是頭髮蓬鬆，垂頭喪氣地站在那裏。

伊的木屐只賸一隻了；背上負了一個兩歲的女孩，手裏攙了一個五歲的男孩。

突地裏，這個婦人放聲哭泣了。伊不能揮拭眼淚，因爲兩手都帶着孩子。

在伊背上的孩子正在熟睡，伊所攙着的那一個，望着伊的臉上，現出疑問的神氣。伊還帶着別的兩個孩子，一個十歲，一個七歲，他們漠不關心地向河的方面看去。

我的心不覺動了憐憫。我便走近些，聽巡警

的盤問，知道伊的丈夫不能付房租，逃走了，伊就在這天被房主逐出賃屋，現在棲身無所，不曉得如何是好。

三三兩兩的過路人停下來聽，但是他們立刻就走開了。

一個紳士坐在金紋的車中，經過那裏，向這婦人看了一眼，也毫不動心地走進銀行的門內去了。

・

我摸索我的袋子，但是一個錢也沒有。一轉眼間，我望見在河之旁，高聳入雲，國旗飄揚有如城堡的，便是第一銀行的所在地！

唉！在那裏有千百萬的金錢鎖藏着啊！

—以上選譯寫生帖—

伊豆的山火

一天晚上，我見有幾點火花在半空飛揚；星沒有這樣光亮，漁舟的燈火沒有這樣高，他們是什麼呢？他們是伊豆底山火呵。

日中他們像香木的烟，在對岸繚繞上升，但在晚上，他們就異常明亮。山火呵。你是被陸地上的居民點着的嗎？你不是傳拋消息給對岸的人們的烽火嗎？　（一月二十號）

花月之夜

一

我推開書房門。滾圓的月正棲在園中櫻花樹的肩上，蔚藍的天空，因佈滿白光，變得很淺淡了。一朵朵的雲各處浮着，近月處閃鑠着銀樣的光亮，輕輭如羊毛。模糊的星群點綴着穹蒼—黯淡的月光照在櫻花樹上，枝上綴着濃密的花，為月光所不及處，看似黑的；疏落落的花枝上照着月光，看似雪白的。亮的遮陰和黯淡的光瀉在落花滿地的園中，把他變成仙國了。遠遠的靠近海岸只見一遍白茫茫的砂洲；遠處有人正在歌唱。

二

忽然洒下了幾滴微雨，不久就止了。雨雲遮住了月亮，因此空中只有微弱的光，櫻花樹差不多在黑暗中隱沒了。有幾處蛙兒正在略略地唱着。

（四月十五號）

冬至

今天是冬至節了！

我漫步田間，踐踏在凝霜的草上，彌望寒景蕭條。風中乾葦的沙沙聲，枯柳間鶺鴒的鳴聲，溪水徐流的淅瀝聲，都報道歲將盡了！

除夕

（十二月二十二號）

天雖不雨，氣候不見晴明，歲暮何其鬱陶！但因歡迎新年，蓬戶陋室之前，飾以採自隣山的松枝，前川泊舟，也用松枝和『注連繩』（即稻草束，橫掛門上爲飾，用於新年。）點綴着。

全世界都現着昇平的氣象；我家也是平安。門無賓客，債主，足以滋擾我家的安靜，也無餘錢揮霍，破棄我的簡單生活。我用最寧靜最平常的精神送別這乖去之年。

（十二月三十一號）

—以上選譯湘南雜筆—

大河

孔子站在河岸上說：

『逝者如斯夫，

不捨晝夜。』

一個人對於河流底感想，用這兩行是表現得很好的，詩人的千言不如聖人這句口頭語。

海固浩瀚——當彼平靜的時候，好比慈母底胸懷，一度狂號，使我們想見神底震怒。但是大河底精神和意義——日夜流動——有與海迥然不同的地方。設若你站在大河之旁凝覷着平靜的溪水，永遠地向下流：

『逝者如斯夫。』

確鑿你會想到時間在常住的空間永遠過去，從萬千年之前流到萬千年以後：看呵，一條帆船現出了，正在我面前駛過；正在駛過，立刻就不見了，所謂羅馬的大帝國不就是這樣過去了嗎？看呵，一片竹葉流來了，只一剎那間就不知那里去了。亞力山大和拿破崙正如這片葉，而今安在呢？河水只是如此靜靜地流着。

我們從河比從海更能懂得永存的意義。

梅花

在古寺的庭中有兩株三株梅花是很好看的，倘月光照着，那更好了。有一年二月裏我從小田原到大和去旅行，過訪松寺。太陽正在箱根底山後沈下，烏鴉靜寂地飛過天空，山峯已被黑暗的夜色罩住了。寺中寂然無人，只有幾株梅樹開着雪白的花站立在黃昏裏。

徘徊幾許時，仰望天空，我見一輪淡若秋水的夕月正從古鐘樓頭捧出。

朝霜

我愛霜是因為他的純潔，因為他是氣候作美的先聲。朝日照在白霜上，是一幅很美麗的景色。

在十二月的下半月，有一天早上，我走過鳥芬娜和托修卡。這天的重霜，是難得看見的；田畝中彷彿蓋了一層雪，長青樹和竹林也都白了。

東邊天上，轉成了黃金色，燦爛的朝日在天際現出。

萬道金光照在屋上和田間。在日光中像水晶般光輝的霜，在遮蔭中現出深紫的顏色。

房屋，叢薄，草堆和田中的稻根都染了白色或紫色；那霜在遮蔭中依然微弱地發光。

全地球都變了玫瑰色和水晶體了。有一農夫在霜田中焚稻草，藍煙像迷霧一般升起；當他散開時，障住了日光。煙雲愈變愈濃，從藍色變成了灰色。

全景都使我愉快．我覺得我更愛冬霜了！

良夜

今夜是舊歷七月十五的夜，是月明而風清的一夜。

我放下事務，步入塲中，走到栗葉叢密的陰下。陣陣微風吹起了池中的波紋，秋虫唧唧地歌唱；晚間的露珠染銀了一切的花草。

我漫步前進，後來發見自己已在用間了，月亮在叢竹密菁的背面升起，天地之間都布滿了伊的光華。群星只暗刺刺地照着。遠處的森林模糊得像一蓬煙了，我站定凝視；幼穀和桑樹包裹在月光之中像綠玉一般的明亮；那棕樹們正在向月亮兒訴說他們的隱衷。

走入虫聲唧唧的草間，我看見月光在被我的足步所破裂的露滴中閃鑠着、林中群鳥互相唱和，彷彿在皎潔的月光中不能成眠的樣子。樹木之下，那月光有些像藍的雨滴。燈光從一間屋子裏穿過樹林射來，談話的聲浪震動了冷夜的空氣。我經過園門，坐在廊下。這時已過十時了，街上的聲音也靜了；月下的花園美麗得像在夢中一樣。

月亮照在樹上，他們的影子倒在地上。光和影兒參雜地布滿園中。芭蕉的光潤而如扇形的葉子的寬闊影子遮在廊上，和棕樹的影子相參雜，微風在樹間遊耍、月光和影兒一同舞着。

一尾魚在涼池的水草中徜徉洋地游泳，必定覺着他全身寖在幢轅的境地中像我一樣了。

風

雨慰藉我們，醫治我們的心而且使我們的精神安靜。那使我們發生悲哀的，不是雨而是風。他忽然從某處吹來，忽然向某處吹去。我們不知他的起點，也不知他的終點。當他在我的面前靜靜地拂過去，我覺得我的心好像裂開的一樣了。

風是生命過去的聲音，有誰知道他來自何方，去向何處的，聽聞了這樣聲音，將覺著悲哀了。有首古詩說得好：「在春或在秋，風早或涼夕，悲哀常是陪伴著風來的！」

檐溜

雨過了。地上散在了櫻花的瓣子，積得這樣厚，幾乎使人家疑心下過雪了。有幾片花瓣浮在檐溜的上面。不要說這檐溜是太狹淺了。你不見他擁抱著碧空在他的懷中嗎？不要說這檐溜是太小了。藍蔚的天空在他上面反射出來，落花自在地浮在他的上面。櫻桃樹的椏枝向下凝視著，水底沙土的顏色是能看見的。有兩隻白雞搖着他們的紅冠走來，當他們蹲下含水在口中，昂起頭來飲下時，他們的影子也印在水中了。

這檐溜雖則這樣小，但他卻是愉快地平安地接受一切東西。

爲什麼人類的兒童所生活的世界，獨是這樣

的俠小兒？

—以上選譯『對自然之五分鐘』—

藝術家

有一晚上，他底心中忽然湧出了一個願望，想鑄造一個『暫駐的快樂』底神像。他走進世界去挑選黃銅。因爲彼只能用黃銅鑄造。

但是全世界所有的黃銅早就消滅了；在全球上沒有一處能找到一些黃銅，除了『永存的憂患』底銅像之外。

這個銅像是他自己所有，而且是他親手鑄造的，放在他生平曾經愛過的一件東西的坟上。

他在生平最愛的死者的坟上放上這個親自鑄造的神像，可以作爲一個未亡人底愛的標識，也可以作爲永久忍受憂患的人底星號。在全世界中除了這個像的黃銅之外，再沒有別的黃銅了。

他取了這個親手鑄造的神像放在一個火爐裏，用火鍛鍊。

他就用過『永存的憂患』底神象的黃銅鑄成了一個『暫駐的快樂』底神像！

救主

當黑暗籠罩了地面，查銳夫拿了一枝松木的火炬，從山上走下山谷去，因爲他在自己屋裏還有事務咧。

他瞧見一個赤裸裸的年輕人跪在荒涼的山峽底火石上，正在哭泣。他有蜜色的髮兒，花一般白的身子；可是他曾用荊棘傷了他底身子，髮上積着灰土彷彿戴了一頂帽子。

他是富有產業的人，向這赤裸裸的年輕人說
『你這樣深深地憂鬱，我並不詫異，因為他
（上帝）真是一個公平的人呀！』

這個年輕人答道：『我底哭泣並不是為了他
（上帝），而是為我自己呀。我也曾變水為酒，
醫好了癩子，使目盲的人明亮了。我曾在水上
行走，從墳墓的居民中驅走了惡魔。我曾喂沙
漠中的飢者，那兒是沒有食物的；我曾從狹小
的屋中扶起死人；在我底住宅，在大衆底面前
，一株瘦瘠不花底樹是彫殘了。這個人（上帝）
所曾做的事我也都做了。可是他們還沒有把我
釘在十字架上呀！』

水仙花與池沼

當水仙死了之後，他底快樂的池沼中從一杯

甜水變成一杯苦淚了。山神們從林間走來，哭著說，他們願向池沼唱歌而且給他平安。

當他們瞧池沼中從一杯甜水變成了一杯苦淚時，他們解鬆了綠的鬈鬆，向池沼哭而且說：『你為了水仙花而悲痛得這般模樣；我們並不詫異，他是這樣的美麗呀！』

『水仙花真美麗嗎？』池沼問道。

『誰能比你知道得更清楚呢？』山神們答道。『我們不過當他偶然經過時瞧見一回兩回罷了；而你是他所尋求的，他趟在你的堤上向下看你，而在你的水鏡中，他能照見他自己的美麗。』

池沼答着道：『可是我的愛水仙花是因為當他趟在我的隄上向下望我時，在他的眼鏡中，我能瞧見我自己的美麗印在裏面啊！』

行善的人

那時候正是夜裏，他一個人孤單單地。他遠遠地聽見圓城的牆、便向着城走去。當他行近時，他聽聞城內歡樂的足步聲，快樂的笑聲和許多樂器的高爽的聲音。他敲敲城門，有個守門者開出門來讓他進去。

他仰頭看見一坐大理石的房子，前面豎立許多精緻的大理石的柱子。柱上掛着花環，內外都有柏木的火炬。他便走入屋中。

他穿過了玉髓的和碧玉的廊子，便到了宴會的長廳，他看見海青色的榻上睡着一個人，髮上插着紅玫瑰，嘴唇被酒勳紅了。

他走到他背後去，按他的肩，並且對他說：

『為什麼你這樣生活着？』

這個年輕人回過來認識他是誰，答道：『但我以前是一個癩子，你治好我的。我還將怎樣生活呢？』

他走出屋去，重行走進街市。

隔了片刻，他見一個人，臉上和衣服上都染了脂粉，足上帶着珠圈。在她後面有一個少年，像獵夫般慢慢地跟着，他穿着一件兩色的外套。婦人的臉像木偶像的怪臉，少年的一雙眼睛閃着色慾的光。

他敏捷地跟着，按少年的手，對他說：『爲什麼你這種樣子瞟着這個婦人？』

少年回過頭來認識他是誰，就說：『但我是瞎過眼的，而你給我視覺。我還將看什麼呢？』

他奔走前去按這婦人的染粉的衣服，對她說

：

『難道除了罪惡的路沒有旁的路可以走嗎？』

婦女回過頭來認識他是誰，笑着說：『但是你寬恕我的罪惡，這條路是一條快樂的路呵。』

他於是走出城去。

當他走出了城，他看見，一個少年坐在道旁正在哭泣。

他向着少年走去；按他的長的束髮，對他說：『你爲什麼哭泣？』

少年抬起頭來認識他是誰答道：『但我是死過的，而你把我從死中救出來。我除了哭泣還將做什麼呢？』

——以上選譯王爾德散文詩——

附　錄

一封寄與伊的信

可愛的小孩—我從無意中看見你寄給他的兩封信，這是信麼？或者是神話？是充滿了文學意味的詩？是活潑潑地眞摯地表現着你個性的呼聲。—

你喜歡小孩麼？小孩本是可愛的。維小孩有活潑的天趣，有眞率的性情。你自已呢？想做天使，想做人們的引路，痛快的說你要說的話，何等的活潑？何等的率直呀？你不是可愛（指泛愛並不是專愛）的小孩麼？

你喜歡鋼琴麼？彈出和諧的聲音，何等悅耳

呀——

你喜歡玫瑰與紫羅蘭花麼？散出芬芳的香味，何等悅鼻呀——

你喜歡畫片麼？表現美麗的色采，何等的悅目呀——

你喜歡做天使麼？撲着兩隻翅膀，飄飄的飛上天去，何等逍遙呀？

你這樣高尚而又優美的精神上的快樂，眞是快樂極了。天國麼？極樂世界麼？烏託邦麼？這是何等的幸福事呀——

不過……

娛樂是人生工作後的慰藉，不是人生的目的

你不要忘記了人們的責任呀——

你彈鋼琴，不要忘記了製造鋼琴的人們。

你聞玫瑰花，不要忘記了種花的人們。

浪花　　一三四

你喜歡畫片，不要忘記了畫工與刷印的人們。

什麼是天使？是背生雙翼，衣服美麗潔白的她麼？

否！是短褐赤足，手拿槌錘，工作不息的人們。

琴聲鏗鏘，多好聽呀——可是內含着人們的喘聲。

花香濃郁，多好聞呀——可是內含着人們的汗腥。

畫片秀麗，多好看呀——可是內含着人們的苦影。

你要看人生的兩面呀，快樂還有責任。

男性是毒蛇麼？這是你的偏見。與吾們傳下來的俗話——毒蛇口中齒，黃蜂尾上針，兩般多不毒，最毒婦人心。」——把女性看作毒蛇一樣的偏見。

人們都是可愛的吓，愛都是甜蜜的吓。戀愛呢？那是一面甜一面苦的，分什麼同性與異性。

你有兩個狠要好的同性朋友麼？這是愛、不是戀愛。戀愛是專一的，不是普遍的，那能有兩個呢？

你很聰明，很有思想，或者是天才罷？願你努力的向上。

——TY

伊的夢

一個十五歲的可憐的伊哭泣了。

「唉！世界怎麼這樣的沉悶呀！

美麗的畫片。是我所愛玩的，但是他飽含着

人們的苦影　我何忍再玩呢？

清婉的鋼琴。是我所愛彈的，但是他俺含着人們的喘聲。我何忍再彈呢？

芬芳的薔薇。是我所愛聞的，但是他俺含着人們的汗腥。我何忍再聞呢？

快樂和安慰都失却了，這種枯寂的世界，我如何再能生存？

去罷！去做真的天使罷：但是天使又在那裏呢？』

伊帶哭的這樣說。但是沒有人回答伊：

『該咀咒的女孩呵，你太貪逸了。沒有做過勞苦的工作，先要享安慰的幸福，上帝是不會容許的。因爲這是罪過呀：哭是無用的，快站起來向那邊去，給人們造一條幸福的橋吧。那邊有高的山闊的海阻隔着，你努力將他除去。

「路的盡處便是仙境，你愛的都在那兒。努力向那邊去罷！」

一個眞實的指導者撫了伊的頭髮這樣說。

伊明白了；立起來，露着微妙的笑容，向那邊去了。

高高的山阻着伊的去路，伊奮然將他鑿通了走過去。

茫茫的大海又阻着伊了，伊又造了堅固的橋兒渡過去了。

伊覺得有異樣的光彩照在伊的身上；有異樣的香味撲在伊的鼻上。伊很快的知道仙境到了

紫羅蘭的地毯。鋼琴的圍牆。畫片的屋，伊永久住着。伊已經是做了仙國之后哩。

自從伊貫通了到仙國的路，那一切勞苦的人

們都能夠到伊那邊去聽淸婉的琴聲，異香的紫羅蘭，和美麗的畫片，得着他們最後的安慰。

JT

中華民國十二年五月初版
陽光社文藝小叢書第一種
浪花 定價二角
譯作者 張近芬
校閱者 李小峰
印刷者 北大出版部印刷課
發行者 陽光社
代售者 上海泰東書局 北京大學新潮社

花木蘭文化出版社聲明啓事

此次《民國文學珍稀文獻集成》出版，有賴各位作者家屬大力支持，慨然允贈版權，遂使這巨大的文化工程得以開展。我社全體同仁在此向各位致以誠摯的謝意！

由於民國作者人數眾多，年代久遠且戰火頻繁，許多作者已無從知其下落。我社傾全力尋找，遍訪各地，能夠找到的後人，得其親筆授權者，爲數甚寡。更多的情況是，因作者本人下落不明，連版權情況都無從知曉。

因此，我社鄭重聲明：

此叢書所錄專著，凡有在版權期內而未授權者，作者家屬可與我社聯繫，我社願奉送相關贈書50冊爲報酬，補簽授權協議。

叢書第一輯，版權不明作者名單如下：

李寶樑、朱采眞、黃俊、汪劍餘、C F 女士（張近芬）、王秋心、王環心、謝采江、曼尼、歐陽蘭、陳勣、沙利、卜弋雲、陳志莘。

望以上作者之家屬看到此通知後與我社聯繫。

聯繫信箱：hml@vip.163.com

花木蘭文化出版社

2016年春